NORA

an tè a dh'ith
agus a dh'ith
AGUS a dh'ith . . .

Andrew Weale & Ben Cort

A' Ghàidhlig Tormod Caimbeul

acair

Seo agaibh Nora a' Chriomòla,
'S tha an t-acras oirr' an-còmhnaidh;
Ag ithe sgudal de gach seòrsa,
Chan fhaigh i uair sam bith a leòr dheth.

Sgonaichean, reòiteagan is bàrr,
peasairean, isbeanan is càis;
rionnach, hama, vindaloo,
buntàta ròst' is lòn de stiubh'.

Dha Eubha, nach do ràinig a' ghealach ... fhathast! A.W.

Dha Mam lem uile ghaol B.C.

A' chiad fhoillseachadh am Breatainn an 2011 le Andersen Press Ltd., 20 Vauxhall Bridge Road, Lunnain SW1V 2SA.
Air fhoillseachadh ann an Astràilia le Random House Australia Pty., Level 3, 100 Pacific Highway, North Sydney, NSW 2060.

An tionndadh Gàidhlig Tormod Caimbeul, 2011

An dealbhachadh sa Ghàidhlig Mairead Anna NicLeòid

A' chiad fhoillseachadh sa Ghàidhlig 2011
Acair Earranta, 7 Sràid Sheumais, Steòrnabhagh, Eilean Leòdhais HS1 2QN

www.acairbooks.com
info@acairbooks.com

Clò-bhuailte ann an China le C&C Offset Printing Co. Ltd.

10 9 8 7 6 5 4 3 2 1

Chuidich Comhairle nan Leabhraichean am foillsichear le cosgaisean an leabhair seo.

Tha Acair a' faighinn taic bho Bhòrd na Gàidhlig.

Gheibhear clàr catalog CIP airson an leabhair seo ann an Leabharlann Bhreatainn.

ISBN 978 086152 3436

Tha an leabhar seo a' cleachdadh pàipear a tha saor bho shealbhag.

Abair slòpraich! Abair coltas!
Rud bho rud dol sìos a goile.
'S às dèidh sin – fuirich gus an cluinn thu –
Dh'imlicheadh 's dh'itheadh i an **truinnsear!**

Aon latha nach do rinn a màthair

Cèic le seòclaid – càil a b' fheàrr leatha;

Ach aon uair 's gun thionndaidh i a cùlaibh,

Bha Nora thuice mar an sùlair'.

“Gabh dhad leabaidh!” dh’èigh a màthair.
“A ghlamaiseire! A thràill gun nàire!”
Suas le Nora, fiadhaich, brais;
Dhùin i ’n doras, thug e

Ach na smaoinich gun robh ’n gnothach seachad.
Chaidh Nora ’s shlaod i mach an drathair
A bha loma-làn a’ brùchdadh
Le **measan**
is **sùgh**
is **mìle siùcar**.

Ach fhathast cha robh an spideag riaraicht',
A mionach a' rùchdail, cha ghabhadh a lìonadh;
Sheall i timcheall – 's cò a chreideadh?
Thug i sùil acrach air an

teadaidh.

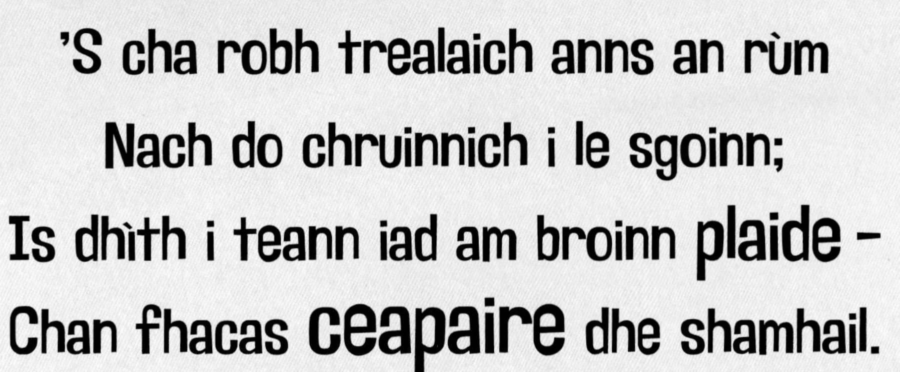

'S cha robh trealaich anns an rùm
Nach do chruinnich i le sgoinn;
Is dhìth i teann iad am broinn **plaide** –
Chan fhacas **ceapaire** dhe shamhail.

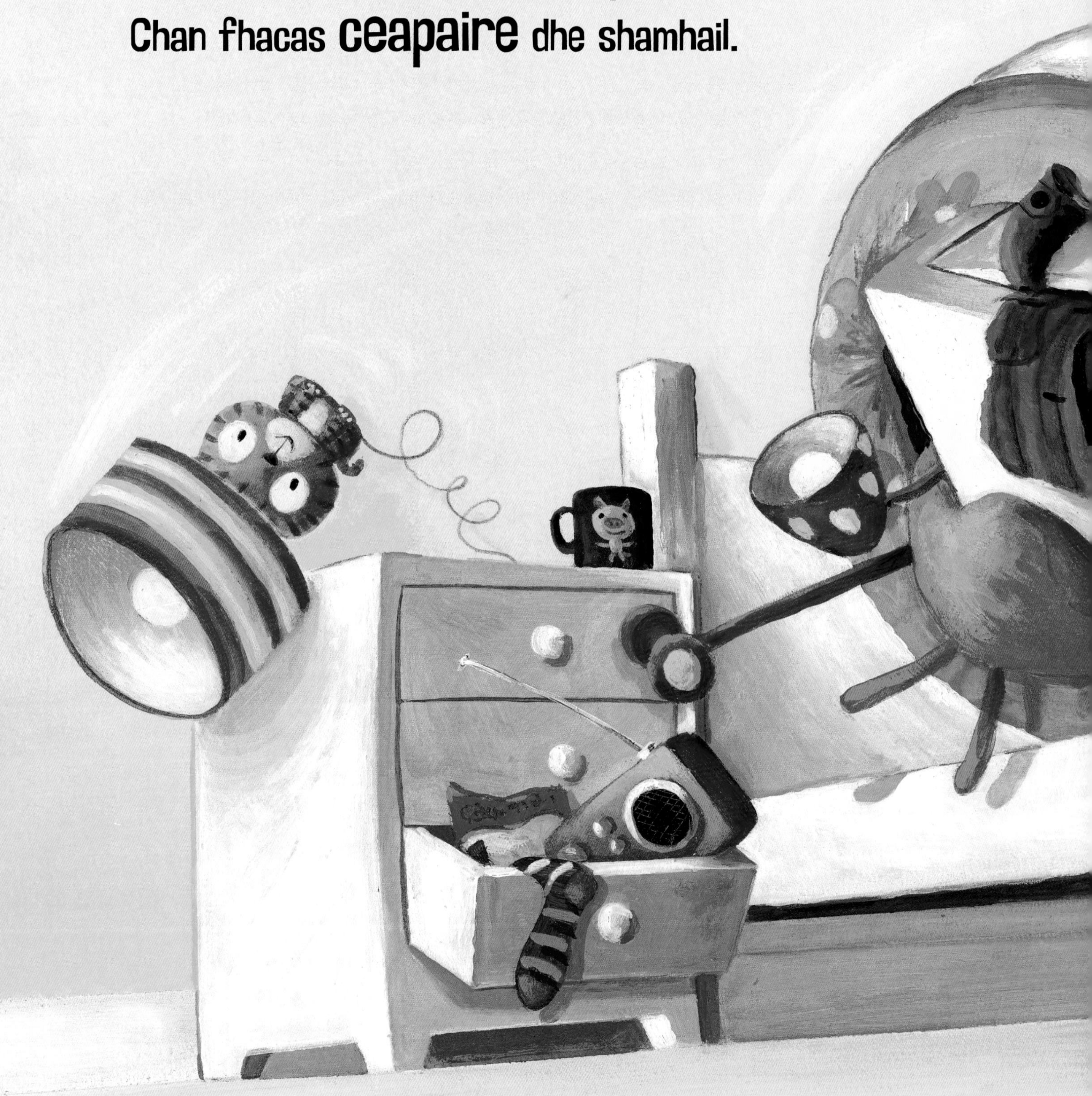

Fiù 's an dèidh sin cha robh i sàsaicht',
Bha 'n t-acras gus a cur a rànail;
Sin, sheall i sìos is rinn i gàire,
Bha rud no dhà a rinn i fhàgail:

Cha robh bròg no stocainn odhar
Nach do chagainn i, mar ghobhar,
Sìos a slugan leotha le chèile,
A còta, a siompar is a lèine –

Sìos gun deach iad –
abair
TIÙRR.

'S an uair sin leig Nora
biast de ...

BHRÙCHD!

'S bheil fhios agad gu dè a thachair?
Spùt i mach na bha na stamaig.

'S a-mach leatha fhèin le fruis dhan oidhche

Suas chun na gealaich mar bhàla-gaoithe.

'S air oidhche rionnagach, 's e mo ghealladh
Gu faic thu i led ghloinne-amhairc.
Ach cha bhi 'n t-acras oirr' gu bràth;
Chan eil anns a' ghealaich ud ach ...

CÀIS!